असम्भव सारांश

(कविता संग्रह)

असम्भव सारांश

आशुतोष दुबे

ISBN 81-7055-974-X

वाणी प्रकाशन
21-ए, दरियागंज, नयी दिल्ली-110002
द्वारा प्रकाशित

प्रथम संस्करण : 2002

मूल्य : 100.00

नागरी प्रिंटर्स, दिल्ली-110032
में मुद्रित

ASAMBHAV SARANSH
(Poetry)
by Ashutosh Dubey

यह कविता-पुस्तक
हिन्दी के समकालीन गद्यकारों,

निर्मल वर्मा, ज्ञानरंजन, विनोद कुमार शुक्ल
कृष्ण बलदेव वैद, कृष्णा सोबती
श्रीलाल शुक्ल, मनोहर श्याम जोशी और उदय प्रकाश

के लिए

I have been to the feast of languages
and stolen the scrapes...

□

...All my best is dressing old words
New spending again what is already spent.
—Shakespeare

अनुक्रम

चीज़ें किस तरह बदलती है
पाठक की निगाह से देखने पर

और इस तरह एक परिचित स्वाद
फिर प्रवेश करता है

अनुपस्थिति बुनती है एक जगह
जो प्रतीक्षा करती है

याद नहीं आते वे कूट शब्द
जिनसे दरवाज़ा खुलता है

आवाज़ एक काया है
जिसमें असंख्य आत्माओं का वास है

चीज़ें किस तरह बदलती है

पाठक की निगाह से देखने पर

लुप्त प्रजाति की दुनिया

एक पेड़ था
डूब गया जिसका बीज

उसकी डाल पर बैठती थी एक चिड़िया
जो अब किसी घोंसले में नहीं लौटती

एक जानवर था
जो उस पेड़ के तने से रगड़ता था अपनी खाल
कालपात्र में रखा है उसका जीवाश्म

एक मनुष्य था
जो सोता था दुपहरी में उस पेड़ के नीचे
उसकी जड़ों पर सिर रखकर
खुदाई में मिलेंगी
उसकी पथराई हुई हड्डियाँ

एक पूरी दुनिया थी
उस पेड़ के आसपास

कहाँ मिलेगा उसका बीज!

अश्वमेध

उसकी धौंकनी में दम फूलता है इच्छाओं का
स्वप्न उसकी टापों में लगातार बजते हैं

वह एक कौंध की तरह गुज़रता है
पण्य-वीथियों में श्रेष्ठि उसे मुँह बाए देखते हैं

हर गुज़रते लक्ष्य के साथ
सुनहरी होती जाती है उसकी अयाल
वह अधिक रम्य होता जाता है
और अधिक काम्य

सम्भव नहीं रहता उस सदेह चुनौती की ताब ला पाना
पुरवासियों की श्वासलय उखड़ने लगती है
जैसे गिरती हो गरज के साथ बिजली
और ठठरी हो जाता हो सब्ज़ पेड़
ऐसे कूदता है वह
सात समन्दर पार धुर देहात में
और घास के बजाय चबाने लगता है नीम

देखते-देखते स्वाद के बदलने लगते हैं अर्थ
ताज्जुब के लिए बहुत देर हो चुकती है
बात की बात में ढह जाते हैं दुर्जय किले

गर्दन का खम किसी का साबुत नहीं बचता
पीछे-पीछे आते हैं प्रधान ऋत्विज
न्यौतते हैं पुरवासियों को यज्ञभूमि पर
पुण्य और प्रसाद पाने के लिए

पता नहीं कब, कौन थामेगा
इस साक्षात गति की वल्गाएँ
बाँधा जाएगा किस यूप से
किन तलवारों से छुआ जाएगा
कौन लेगा आहुति की धूम्रगन्ध विधिपूर्वक

अभी तो यह नाप रहा है समूची पृथ्वी
चमक रही हैं इसकी आँखें
जिधर से भी गुज़रता है
वनस्पतियाँ झुलस जाती हैं
गाढ़ा हो जाता है लालसा का रंग
चारण विजयगीत गाते हैं

कुछ न कुछ बदल ही जाता है
सबके भीतर

सिर्फ वसन्त नहीं

यह सिर्फ वसन्त नहीं
जो सुनाई देता है कोयल की आवाज़ में
यह उसकी हूक भी हो सकती है
कोयल अपना आर्तनाद भी कूकेगी

देह की केंचुल में छटपटाते हुए
वह आदमी जो अतल में धँस रहा है
अपने गले में अदृश्य पत्थर बाँधकर
उसकी हँसी में दुनिया खोटे सिक्के की तरह खनकती है
हम उसे औसत सुख के बट्टे-खाते डाल देते हैं

रोज़मर्रा के बेशुमार कामों के बीच
एक आदमी सुन रहा है अपने शरीर में
कुछ टूटने और फिर उसके डूबने की आवाज़
और जा रहा है धीरे-धीरे
रोज़मर्रा के बिलकुल दूसरी तरफ
यह देखना हमारे लिए मुश्किल है कि
कितनी दूर तक वह धँस चुका है
प्राचीन लिपियों से भरी गुफा में
एक अज्ञात अक्षर की तरह खुदने के लिए

चमकीली आँखों और सफेद सिर वाली एक औरत
जो घूम आती है तीनों कालों के आँगन में
नीम के नीचे खड़े-खड़े
बाँच सकती है आगा-पीछा
दीवार पर लिखी इबारत की तरह
वह तीन दिन से भूखी है और
इस वक्त अपने झोले में रखे
सारे वरदानों के बदले
सिर्फ पेट भर खाना चाहती है

विकल्पहीन

दिखाई नहीं देंगे
वक्त आने से पहले
सुनाई भी नहीं देंगे
अपनी खुराक का पूरा इन्तज़ाम कर
भूमिगत हो गए हैं मेढक
बरसात आने तक

अपने सात्विक आलस्य में
खुद में लिपटे हुए
बिलों के मुहाने पर
शिकार की दस्तक गूँजने से पहले
समाधि में चले गए हैं साँप

चौंकन्ने कानों और खतरनाक एकाग्रता से
असावधानी के किसी भी क्षण को
पंजों में दबोच लेने को तत्पर
जिसे आप स्तब्ध होकर देख रहे हैं
वह बिल्ली का ध्यान-योग है

और वह छिपकली जो टकटकी लगाए
अपनी जीभ की ज़द में
भुनगे का इन्तज़ार कर रही है

आपकी दीवार पर सब्र की तस्वीर है

अपने कल की शुरुआत से पहले
आज लिहाफ में
जब आप एक लापरवाह जम्हाई ले रहे हैं
तेज़ी से खत्म होते जा रहे हैं
भूमिगत होने के विकल्प

गठरी में घर

रेलगाड़ी के गन्दे फर्श पर
थरथराती हुई
वह एक गठरी होती है
घर जिसमें बँधा होता है

किसी ऋतु में मन को
पंख जैसा हल्का बनाती हुई
किसी मौसम में
भीगी हुई रूई की तरह
बनती है आत्मा का दुर्वह बोझ

कभी माथे पर लदी हुई
कभी कन्धे पर सवार
कभी सिर के नीचे चौंकन्नी
नींद की पहरेदार

उसमें एक पेड़ की छाया बँधी होती है
कुछ नक्षत्रों की चमक
आग का एक फूल टँका होता है
हड्डियों की दुखन
हथेलियों का ताप
कुछ थके हुए गुड़ीमुड़ी स्वप्न

जो चौंक कर फिर पुनर्नवा हो जाते हैं
और इस तरह
भीगी हुई रूई के
कपास के फूल में
बदलने का खेल चलता रहता है

उधर गए आदमी

उधर गए आदमी
उधर ही क्यों रह जाते हैं
एक पहाड़ सर झुका कर
खुद से पूछता है

ऊबता है एक पठार
समुद्र के गर्भ से
उबरने की प्रतीक्षा में

खुद को तैयार करता है समुद्र
एक आदमी की प्यास में
डूबने के लिए

मद्धिम होता जाता है
रेत हो रही नदी के कानों में
नावों का शोकगीत

अन्तिम स्पर्श देकर
एक साथ उड़ जाते हैं पक्षी
वृक्ष की टहनियों से

शताब्दियों बाद लौटा धूमकेतु

अपने नीले अवसाद में
विदापर्व को देखता है
और पूछता है

उधर गए आदमी
उधर ही क्यों रह जाते हैं?

शोकसभा में एक हँसी

कण्ठ की गुलेल से
वह जो छूटा हुआ एक शब्द है
कँटीले तारों के पार जाता है

मर्मस्थल से निकली
वह जो एक यातनादीप्त चीख है
अनन्त में लिखती है एक मृत्युलेख

गाढ़े अँधेरे में देहों के बीच
वह जो एक चुप्पी है निथरती हुई
आत्माओं में रिसती है

लगातार गूँजती हुई
वह जो शोकसभा में एक हँसी है दुर्निवार
आदिम सन्देह से भर देती है दिशाओं को

सब एक-दूसरे को देखते हैं
और एक-दूसरे से बचते हैं

और जो नहीं रहा
इस तरह रह जाता है
सबके बीच

सुनना चाहता हूँ

जो संवाद कहता है
पहला निवाला भूख से
डिम्ब, विजेता शुक्राणु से
बरसात की पहली बूँद
ज़मीन के तपते हुए तवे से
सुनना चाहता हूँ उसे

किस तरह गाई जाती है
सूरजमुखी के खेत में प्रभाती
क्या कहती है परदेशी चिड़िया
हर बरस जाड़ों में लौट कर
अपने गुलमोहर के पेड़ से

किस तरह देती हैं धन्यवाद
सूर्य के अक्षयपात्र से
दाना चुगती हुई पत्तियाँ
किस तरह सूर्य अपनी चमक के लिए
कृतज्ञ होता है
पत्तियों के हरेपन का

क्या कहता है जंग लगा ताला
जब अचानक मिलती है

बरसों से गुमी हुई चाबी

कितनी साफ सुनाई देती है
पुरखों की इत्मीनान भरी साँस

सुनना चाहता हूँ

मृगया

सनसनाता हुआ एक तीर
हिरण के बदन में धँसकर
मर जाता है

एक गर्व, एक इच्छा
लपट की तरह उठती है
फिर अगले घुटने मोड़ती हुई
छटपटाने लगती है
एक तरफ गिरकर

रोमांच राख होता हुआ
जम जाता है
मृतक की दीठ में

शिकार पड़ा रहता है
शिकारी को छकाती हुई
दूर वन में लोप हो जाती है
हिरण की लय

वह जो लौट रहा है
पीछे देखते हुए बार-बार

किसे खोज रहा है?

लगातार

एक लगातार आवाज आखिर लक्ष्य भेदती है
खिड़की के काँच पर अहैतुक टकराते कीड़े की तरफ
आखिर हमारा ध्यान जाता है
हमारी जीभ छूती है बार-बार दाँतों को
जिनके बीच एक असंगत रेशा फँसा होता है

संकुल चित्त में उल्काओं की तरह
भटकती हैं निरानन चिन्ताएँ
जिन्हें पहचाने बगैर
हम भागे-भागे फिरते हैं शरण खोजते हुए

पहले प्रभाव पर हँसता हुआ
दुष्ट पुनर्विचार लौटता है
ज़िद्दी चींटे की तरह बार-बार
आकार लेता हुआ एक धूसर निर्णय
चिड़िया की तरह ढूँढ़ता है
घोंसले के लिए एक निरापद स्थान

बुहार के खिलाफ लगातार बनते जाते हैं जाले
तले में जमती जाती है फफूँद
भीतर की नमी बाहर की हवा
एक अजीब रसायन बनाते हैं
जिसके दाग़ की काट
मिलती नहीं आसपास

अभिज्ञान

हमें पता होता है

हम कहाँ हँसते हैं और कैसे
हम कहाँ क्या कहते हैं और कैसे
किस-किस का ज़िक्र छिड़ते ही
कौन सी सुरंग में धँसते हुए
किस खँडहर से निकलते हैं और कैसे

श्मशान और प्रेम के बाद की विरक्ति
हमें मृत्यु और शैया से
पहले ही पता होती है

निष्प्रयोजन टहलते हुए
ज़मीन पर चिड़िया के फूटे अण्डे देखकर
हमें न दुख होता है न विस्मय
हम एक लम्बी साँस तक नहीं छोड़ते।

हमें पता होता है

कब बन्द हो जाएगा दिखाई देना
हम कब गूँगे हो जाएँगे और कैसे
कब हम आने वाले दिन की ज़ेरॉक्स कॉपी

आज की दराज से निकाल लेंगे
कब हम सुख के बारे में सोचेंगे
और सोचे हुए सुख से ऊबेंगे कैसे

हमें पता होता है

प्रत्याशित के समुद्र पर
एक थकी हुई चिड़िया की तरह
हम कब तक उड़ेंगे और गिरेंगे कैसे

इति सिद्धम

चूँकि स्त्रियाँ अभी भी हँसती हुई दिखाई देती हैं
और बच्चे खेलते हुए
तितलियों को फूलों के नज़दीक जाने से
रोका नहीं गया
और बूढ़ों को खाँसते रहने से

इसलिए यह सिद्ध होता है कि
गणतन्त्र की जड़ें गहरे तक चली गई हैं

चूँकि जारी हैं अभी भी
सन्तों के प्रवचन अपार भीड़ में
पिलाया जाता है साँप को दूध
परिवार के बड़े-बूढ़े
अपने अग्रिम पिण्डदान वसूलकर
निकल जाते हैं दुर्गम तीर्थयात्राओं पर

इसलिए यह सिद्ध होता है
एकदम लोप नहीं हो गया धरम का

चूँकि चारों पैरों पर टिके इस कलयुग में भी
कोई ग़रीब रिक्शे वाला
सवारी को ढूँढ़कर

लौटा देता है भूला हुआ बटुआ जस का तस
इसलिए सिद्ध होता है
कि ईमानदारी का बीजनाश नहीं हुआ अभी भी

चूँकि विस्मरण की तमाम हिकमतों के बावजूद
स्मृति जीवित है अभी भी
और विचार करता रहता है घुसपैठ जब-तब
विघ्नसंतोषियों की तरह

इसलिए सिद्ध होता है
कि सिद्धि अभी दूर है

नाटक के बाहर

शाकुन्तल के पन्नों से निकलती है शकुन्तला
मृच्छकटिकम से वसन्तसेना
दोनों नदी के तट पर
पेड़ की छाँह में बैठकर
देर तक करती रहती हैं
कालिदास और शूद्रक की बातें

जाल डालकर वह मछेरा भी वहीं बैठा होता है
लगभग जान ही ले डाली थी जिसकी राजा की अँगूठी ने
और बाद में बमुश्किल छूट पाया था जो
राजसेवकों से पान-फूल का शिष्टाचार निभाने के बाद

दोनों बतियाती हैं देर तक पुरानी सखियों की तरह
छेड़ती हैं यहाँ-वहाँ के क़िस्से
शकुन्तला बताती है कि किस तरह
चौथे अंक के चौथे श्लोक ने
सोने नहीं दिया था कालिदास को चार रातों तक

वसन्तसेना याद करती है कि
कैसे सुनते रहे थे शूद्रक
मिट्टी की गाड़ी की ध्वनि
नाटक के समाप्त हो जाने के बाद भी

इसके बाद शकुन्तला कहती है
बड़ी देर हो गई, चलती हूँ
सातवें अंक के मरीचाश्रम से आई थी
पर भरत को वहीं छोड़
लौटना होगा मुझे प्रथम अंक के कण्व आश्रम में
जहाँ गौतमी मेरी प्रतीक्षा में होंगी
ऋषि गए होंगे सोमतीर्थ
और तपोवन में चले आ रहे होंगे राजपुरुष

उधर वसन्तसेना को खोजते आ जाता है शकार
कहते हुए, तुम कहाँ थीं अब तक
मैंने तुम्हें कहाँ-कहाँ नहीं ढूँढ़ा
यहाँ तक कि चारुदत्त के घर भी गया
उसी ने बताया कि तुम यहीं कहीं होगी

तब लौट गई शकुन्तला आश्रम में
और चली गई वसन्तसेना शकार के साथ

वह बूढ़ा मछेरा मगर लौटा नहीं नाटक में
तजुर्बे से सीख चुका था वह
अँगूठी यदि निकले मछली के पेट से तो भी
दूर रहना चाहिए राजा के दरबार से

पाठक की निगाह

कभी आप लिखते हैं कोई खत
कभी निजी डायरी
कभी महीने के खर्च का हिसाब
कभी-कभी कविताएँ भी

कभी आपको लिखना पड़ता है
स्पष्टीकरण
कभी आप बनाते हैं
किसी क्षमा-पत्र का मसौदा

फिर अचानक एक दिन पढ़ने पर
अपनी लिखी चिट्ठी किसी भूल की तरह लगती है
खर्च का हिसाब भयभीत कर देता है
कविताएँ घोर असन्तोष से भर देती हैं
निजी प्रसंगों पर निजी टिप्पणियाँ
व्याकुल कर देती हैं भीतर ही भीतर
स्पष्टीकरण के कच्चे मसौदे
भर देते हैं अपराध-बोध और ग्लानि भाव से

फिर आप उधेड़ने लगते हैं
अपने बुने हुए को
और लच्छियों को उलझने से बचाना

एक मुश्किल काम होता है

देखा आपने
चीज़ें किस तरह बदलती हैं
पाठक की निगाह से देखने पर

और इस तरह एक परिचित स्वाद
फिर प्रवेश करता है

अन्त में मेरे पास

अन्त में मेरे पास कुछ भय बचे
एक भय अँधेरे का था
एक आकाश में चमकती बिजली का
एक भय रात में इमली का पेड़ को देखने का
एक भय पिता का भी था, प्रेम में गुँथा हुआ
एक भय मोहल्ले के उस भिखारी का था
साँझ ढले जिसकी पुकार थरथरा देती थी
गणित की कक्षा का भय इससे थोड़ा अलग था
और इसके आसपास ही था
लालटेन के उजास में दीवार पर परछाइयों का

इस भयाकीर्ण जीवन में
ये एक विपन्न जीवन के विपन्न भय थे

यथाक्रम आना ही था विकट भयों को भी
पर वे गुजर गए बिजली के खंभों की तरह
त्रास की खराश देकर बिला गए धीरे-धीरे

अन्त में मेरे पास कुछ चितकबरे भय बचे
अपनी दीनता में अनन्य
मन की डिबिया में सहेजे हुए

ये छू देते हैं जब-तब संजीवन उँगलियों से
और मेरे दोनों हिस्से फिर जुड़ जाते हैं

माघ की उतरती धूप में

माघ की धूप का एक मधुर टुकड़ा
मेथी की भाजी तोड़ती हुई
तीन औरतें
और इस वृत्त में उमगता हुआ
एक सम्पूर्ण स्वायत्त संसार

जिसमें सभी घड़ियाँ बन्द हो गई हैं
अन्तर्धान हो गए हैं
निजी और नियमित दुखों के दैनिक कर्मकाण्ड
हवा में बह रही है
किसी आह्लादपूर्ण प्रसंग की अनिर्वच पुलक

डंठलों की तरह बुहार दिए जाते हैं शब्द
आसमान की आँखों में भर जाती है चमक
माघ की उतरती धूप में
दीप्त हो उठती हैं
मेथी की पत्तियाँ
और तीन स्त्रियों की समवेत हँसी

और बीतते जाते हैं बरसों बरस
बीतती जाती है हर बरस की शीत

सारांश

बिस्तर में वे नहीं हैं
उनका सारांश है

पृष्ठों से पैरेग्राफ्स में होते हुए
अब उनके खाँसते वाक्यों का सारांश
मुश्किल से निकलते कुछ शब्दों में है

दीवार पर एक ग्रुपफोटो टँगा है
जो उनकी जवानी का सारांश है

किसी काग़ज़ पर कुछ पंक्तियों में
उनके किए-धरे का सारांश है
और उसके बाद काफी जगह छूटी हुई है
छूटी हुई खाली जगह में
उनके अनकिए का सारांश है

खाली जगह को पढ़ते हुए
खाली जगह में फँसती है उनकी साँस
उखड़ती हुई साँस के धक्के से
एक दिन उखड़ जाएँगे उनके कदम
उड़ जाएँगे वे हवा में
खाली पन्ने की तरह

कि वह लिखे हुए पन्ने से
हल्का और तेज़ उड़ता है

तब एक छोटे से बर्तन में
आ जाएगा उनका सारांश
नदी की लहरों पर फैल जाएगा
किसी व्याख्या की तरह

मुमकिन है, तब पता चले
वे एक महाकाव्य के सारांश थे

या क्या पता,
किसी छोटी, नुकीली सी कविता के
असम्भव सारांश हों

वह इस तरह आता है

वह इस तरह आता है
जैसे रह गया हो

एक उदास मुस्कान की
नीम रोशनी में निरुद्ध
वह अनुपस्थित, मौजूद है
अनमने वाक्यों की सतह पर

उसके हाथ सीने पर बँधे हैं
जोग की एक अस्वर बन्दिश
उस पर ओस की तरह गिर रही है

एक हिमार्त दृष्टि
उसके आसपास का तापमान गिरा रही है
क़िस्सों के अलाव के नज़दीक बैठा
वह भीतर से ठिठुर रहा है

दो संवादों के बीच की फाँक से
झाँक रहे हैं अंकुरित भवबीज
दो नन्हे गर्म हाथ
उसकी ठण्डी हथेलियों को छू रहे हैं

एक कातर संकल्प के साथ
उखड़ा हुआ वह खुद को रोपता है

अन्ततः वह एक जोखिम भरा फल है
बेमौसम उगा हुआ बातचीत में

वो दिन और आज का दिन

अपनी अलग-अलग दुनियाओं के दरवाज़े खोलकर
वे सब आ खड़े हुए एक ही जगह
वह बचपन की शस्य श्यामला धरती थी
जिसमें अब इतनी दूर से देखने पर
कहीं-कहीं सूखी दरारें भी दीखती थीं

सात समंदर पार से आया बड़ा भाई
घर गिरस्ती में से आई बहन
इनसे छोटे यहीं आसपास थे पर बेहद मसरूफ
पिता और माँ हाथ पकड़े अब सीढ़ियाँ उतर रहे थे
इस तरह मिला कुटुम्ब एक अचम्भे की तरह
इतना दुर्लभ क्षण कि किसी को याद आया कैमरा
कि जैसे सिर्फ कैमरे से कृतार्थ होगा यह पल
और आगे के बारे में कुछ कहा नहीं जा सकता

घरेलू कैमरे की फ्रेम में चार भाई बहन और माँ-पिता
छोटे से कमरे की सीमित दूरी में अँट नहीं पा रहे थे
उन्हें खूब सट कर खड़ा होना पड़ा
यह एक भूली हुई तरकीब थी
वे बरसों से पास-पास बैठे तक नहीं थे
जबकि एक वक़्त था वे सब एक छाते के नीचे
चलते थे भर बरसात में
और कोई नहीं भीगता था

वे बचपन के मुहल्ले में घुसे हाथ पकड़कर
वहाँ बचपन के मौसम पेड़ों पर
नटखट बच्चों जैसे चढ़े हुए थे
सड़क घेर कर गायें वैसी ही बैठी थीं
मन्दिरों में रतजगे थे गाँजे से महकते हुए
उनके पैरों पर बीते सालों की धूल थी
पड़ोसी न बूढ़े हुए थे, न मरे थे
वे सब उस शाम जीवित थे और युवा
और दुहरा रहे थे अपनी दिलचस्प बातें
एक प्रसंग की पीठ पर दूसरा चढ़कर झाँकता था
रेडियो के कुछ गाने किसी नींद से उठ रहे थे

साथ-साथ झेले हुए मौसमों की कुछ
हमेशा के लिए लुप्त हो गई चीज़ें तक
यथावत मिलीं स्मृतियों के उस कबाड़ में
जैसे सर्दी की रातों की वह अँगीठी
जिसकी आँच सबके साथ बैठकर ही महसूस होती थी
और पिता के स्वर में सुनाया जाता कोई संस्मरण
लहू के साथ दौड़ता रहता नसों में
बरसात में जब घर के सामने घुटने-घुटने पानी भरा
उस शाम भी सबने वह बहती हुई चप्पल देखी
जो सबसे छोटे भाई के पैर से निकली
और प्लास्टिक की सात रुपए की वह चप्पल
बाद में बड़े भाई को मिली अटकी हुई एक दूसरे समय में

दूसरों से हुए कुछ झगड़ों का रोमांच
और आपस में हुई कुछ लड़ाइयों की ग्लानि
चुभी हुई कीलें, छिले हुए घुटने
दारुण बीमारियाँ—यह सब कुछ बिंध गया
उस शाम की नोक पर
बहते रहे उनके साझा साल एक दूसरे में गुँथे हुए

उनके ऊपर से पानी की तरह

लेकिन उस सुखद अवसन्नता का भी अन्त होना था
जब उन्होंने पाया कि सीधी धूप आँखों को चुभने लगी है
संवाद खत्म होते जा रहे हैं
एक विराट चुप्पी उनके बीच आकर बैठ गई है
चलते-चलते वे एक ऐसी जगह आ गए हैं
जहाँ अपरिचय है जबरदस्त
और उससे भी अधिक अनिच्छा है
यहाँ हाथ एक-दूसरे को टटोलते भी
तो स्पर्श फिर भी गैर मौजूद होता
यह उँगलियों और उनकी छुअन के साथ दुर्घटना होती
जिसके सकते में बैठे रह गए वे सब अपनी-अपनी जगह

यहीं खत्म हो जाती थी वह ज़मीन
जो चार भाई बहन और उनके माँ-बाप के लिए काफी नहीं थी
कोशिश के बावजूद वे दूर और देर तक साथ चल नहीं पाते थे
उन्हें बिखरना होता था अन्तरिक्ष में
अलग-अलग ग्रहों की तरह अपने-अपने सौरमण्डल में
अपने-अपने खालीपन में देखते हुए
वो दिन और आज का दिन
जिसमें सिर्फ कुछ तस्वीरें होती हैं
जिनमें चार लोग एक वृद्ध दम्पति के साथ
एक घरेलू कैमरे की फ्रेम में
बमुश्किल सटे हुए हैं

पुनःप्रवेश

अपना हठ साधे
बरसती आग में निस्पन्द हैं पेड़
छन रही है दुपहरी के कानों में
चलनी की आवाज़
सूखे पीले पत्तों से भरे हुए आँगन में
माँ बीन रही है गेहूँ
थाली में सँजो रही है
गेहूँ के दानों को
कंकरों के प्रतिपक्ष में

दुनिया से लौटकर पिता
साइकल दीवार से टिकाते हैं
कनपटी पर चमकते पसीने को
रूमाल से पोंछते हुए
अभी साँझ नहीं हुई
और युद्ध भी थमा नहीं
इस अकाल वेला में
शिविर में लौटने में
देर तक थरथराता है युद्ध का नतीजा
घर की दीवारें धीरे से काँपती हैं

एक नज़र देखकर

माँ थाली रख देती है
फिर घुसती है एक लम्बी सुरंग में
और प्रकट होती है
हाथ में पानी से भरा पात्र लेकर
सूखते कण्ठ के बावजूद
पिता पानी नहीं पीते
बस मुँह भर धोते हैं
और अचेत हवा को
जगाने की कोशिश में
हिलाते रहते हैं रूमाल

इस उठा-धरी में
थाली में लुढ़कता है
एक कंकर अगोचर
जा मिलता है
गेहूँ के दानों में
न माँ जान पाती है
न पिता

और इस तरह
रोटी में एक परिचित स्वाद
फिर प्रवेश करता है

उसका रोना

उसने कहा वह रोना चाहता है

पर यह इतना आसान नहीं था
सूखे पत्तों, रेत और मिट्टी के बहुत नीचे
कहीं नमी थी तो जरूर
लेकिन बीच के इन बरसों में
सूरज ऐन सिर पर कुछ इस तरह चमकता रहा था
कि बहुत सारी चीज़ें भाप बन कर अदृश्य हो गई थीं
और बहुत कान लगाने पर ही
सुनी जा सकती थी भूगर्भ जल की आवाज़

गुफा के मुहाने पर रखी वह विशाल चट्टान
आखिर घुलने लगी नमक के ढेले जैसी
कुछ नशे, कुछ आँसुओं से धुलता गया
आईने पर जमा बरसों का ग़र्द-गुबार
अक्टूबर की सिमटती हुई रोशनी में
चमकने लगे उसके मासूम दिन
विस्मृत और व्यतीत भले और भोलेपन के लिए
अपने एक नर्म हिस्से के अवसान
और हरेपन के तिरोहित होते जाने के लिए
वह एक रुँधा हुआ विलाप था
तटबन्धों को तोड़कर निकलता हुआ

उस इलाके की हवाओं में गिरफ्तार वह
उफन कर बह चला अपने प्रेम, अपनी घृणा
अपने गुनाह, अपने क्रोध, अपनी करुणा
और अपने सन्देहों में
काँटे की तरह मन में गड़े हुए सवाल
जीभ को छेदते हुए बाहर आने लगे
लगातार स्थगित कुछ जोखिम आँखें चुराने लगे उससे
अब कोई डर बाकी नहीं था
खतरनाक सुरंग में आगे बढ़ते हुए
भू-धसान के किसी हादसे में अचानक दफन हो जाने का

भूमिगत होकर वह एक ऐसी जगह
पहुँचने की कोशिश में था
जहाँ खुद की शिनाख्त मुमकिन हो सके
जीवन के सारे गड्ड-मड्ड में
जिसमें हिरण के छौने की तरह
बचपन बहन के स्नेह में दुबका था
और उसके बाद धूप थी, इतनी तीखी
कि उसमें भाई का प्यार
उसके अत्याचार की तरह प्रकट होता था
नीम-गरम रिश्तों के चश्मे में
पोर-पोर से सोखते हुए ऊष्माएँ
कुछ दोस्त थे, जिनके लिए मर जाना
इकलौती महत्वाकांक्षा थी
जो राख के नीचे अब भी सुलग रही थी
उजड़ते और विस्थापित होते हुए लोग थे
जिनकी उखड़ी हुई जड़ों से
खून टपकता था
दूर तक फैलता हुआ उसकी नींद और सपनों में
अपने को पूरी ताकत से
किसी ताकतवर के सामने

फेंकते हुए चूर-चूर कर देने
और हो जाने की दारुण कामना
चील की तरह उसके आकाश पर मँडरा रही थी

बीच-बीच के झोंकों में
अपनी भावुक मूर्खताओं पर हँसने की कोशिश में
लगातार सुबकता हुआ वह
उस समय एक सम्पूर्ण मनुष्य था
निष्कवच और वेध्य
छोटी सी उमर में
एक बड़े जीवन के दुखों से छलछलाता
वह उस समय कबीर का कोई संस्करण था
जो सोते हुए सुखी संसार के बीचोंबीच
नशे की बेहोशी में
जाग रहा था
और रो रहा था

मनौती का पेड़

धागे की एक लच्छी उसे बाँधकर
हम लौट जाते हैं
एक झुलसती उम्मीद में
नख से शिख तक
इच्छाओं से बिंधा हुआ
जलते हुए आसमान के नीचे
वह घायल कल्पवृक्ष
खड़ा रहता है
किसी शापग्रस्त यक्ष की तरह
ईश्वर के आँगन में

उसकी जड़ों में दीमकों का घर है
पत्ते उसका साथ छोड़ चुके
पखेरू कभी से कह चुके हैं अलविदा
हमारे मनोरथों का ठूँठ
हमारी कामनाओं का वह बंजर विन्यास
अनगिनत जन्मों की
असंख्य लालसाओं से जर्जर
साँस लेता है
किसी अगले जन्म के स्वप्न में

उसके तमाम जख्म घोंसले हैं
जिनमें हमारी विपदाएँ
राहत की प्रतीक्षा करती हैं
विहग-शावकों की तरह चोंच खोले
यह नीड़ वह जगह है
जहाँ चीज़ें अपनी असली शक्ल में दीखती हैं
जैसे लालच, लालच की तरह
भय, बिलकुल भय जैसा
इच्छाएँ एकदम निर्वसन

एक दिन वह भी भूमिसात होगा
ईश्वर के ओसारे में
काठ की आँखों में जमी होंगी
एक नश्वर दुनिया की
अनश्वर परछाइयाँ

अनुपस्थिति बुनती है एक जगह
जो प्रतीक्षा करती है

सुख गर्भजल की तरह ऊष्म था

सुख गर्भजल की तरह ऊष्म था
जिसमें तैरता रहा मैं अनगिनत वर्ष
एक आदिम अँधेरे में सुनते हुए
रोशनी की तरह चमकती आवाज़ें
जैसे कोई सुनता है नींद में बारिश
या रेल की पटरियों से लगाता है कान
और जागता है आता हुआ समय सुनकर

कहीं तकलीफ के निशान ढूँढ़े से नहीं मिलते थे
हवा में कहीं नहीं धँसी थी कोई चीख
जब जन्म दिया माँ ने मुझको
मुझे याद है, मैं बिलकुल रोया नहीं
मुस्कुराया उसकी ओर देखकर ऐसे
जैसे पुराने दोस्त मिलने पर मुस्कुराते हैं

फिर वह सो गई सम्पूर्ण सुख की थकान में
पुलक में डूबी हुई आकण्ठ
और मैंने प्रेम किया
पास बैठी हुई उस प्रसन्न स्त्री से
जिसकी उँगली थाम मैं दाखिल हुआ इस दुनिया में
यहाँ आने और प्रेम करने के दरमियानी साल
रात की ओस की तरह घुल गए थे दिन के बादलों में

उसके होठों के ऊपर पसीने का नमक था
उसकी गन्ध ऐसी थी
जैसे पहली फुहार से भीगी धरती

और यह सब घटित हुआ पल भर में
आषाढ़ की एक साँझ
जब दुनिया बारिश के गाढ़े पर्दे की ओट हो रही थी
मैं बैठा था एक पत्थर पर बिलकुल खाली
कि किसी गुज़रे जन्म की यह कौंध
मुझे इस तरह भर गई लबालब

कि मैंने फिर से सीखा अपना
पैदा होना और प्रेम करना

आखिरी इच्छा

वे कौन से शब्द होते हैं
जिन्हें इधर-उधर से इकट्ठा करते ही
उनमें भभक उठती है इच्छा की लौ
इच्छा का कितना ताप पहुँच पाता है
उसकी इबारत गढ़ने वाले शब्दों में

आखिरी इच्छा के शब्दों में
कितनी आग होती है, कितना जल

शायद वह लौटना चाहेगी
फिर एक बार पहली इच्छा की तरफ
रास्ते में मिलने वाली
कामनाओं की अछोर भीड़ से बचती हुई
वह पार करेगी एक जीवन का बीहड़

आसान नहीं होगा यह
छली गईं और छलने वाली
दुलरायी हुईं और दुतकारी गईं
क्षुब्ध, घायल, हँसती-रोती
इच्छाओं के बीच से रास्ता बनाना
पगलायी हुई कोई इच्छा
अचानक एक पत्थर उठा कर फेंक सकती है

उसकी तरफ

ठोकर खाती-गिरती-पड़ती
काँटों में उलझती और सँभलती
वह उतरेगी कई सीढ़ियाँ
चढ़ेगी पहाड़
पार करेगी जंगल नदियाँ मैदान
और पहुँचेगी उजास के उस पहले कण तक
जो उस नम और कुनकुने अँधेरे में
सबसे पहले दाखिल हुआ था
जहाँ एक दूध भरा स्तन जगा रहा था शिशु-अधरों को
जन्म ले रही थी पहली इच्छा
और उसे गढ़ने वाले शब्द कहीं नहीं थे उस समय

एक काली दीवार से शुरू होकर
उजाले की पहली दस्तक तक
आखिरी इच्छा की यह दौड़
यहाँ खत्म होगी
और तब शायद उसे लगे
कि वह देख रही है अपनी ही शक्ल
इतनी ही आग, इतना ही जल

इच्छाओं के पहले और अन्तिम बिन्दुओं के बीच
जीवन के नीचे
खिंचेगी इस तरह एक सरल रेखा

पुनरपि

पता नहीं, कितना वक़्त लगेगा
फिर एक साफ स्लेट की तरह होने में

विफल मनोरथों के करुण गौरव
और व्यतीत की आत्मीय शवसाधना से परे
फिर एक बीज की तरह उगने में

त्रिभुजों-वर्गों-वृत्तों को पोंछकर
इतिहास के युद्धरत संस्करणों
और धर्मग्रन्थों के माहात्म्य के इलाके के बाहर
बूँदों के गिरने और पत्तों के हिलने को
अपने सात्विक आश्चर्य में शामिल करते हुए
काँसे के बर्तन की तरह बजने में

परिचित दृश्यों की कौंध से बहुत दूर
बदले हुए कपड़ों जैसी आसक्तियों से अलग
संस्कारों की तराश से अछूते
अपनी तरह अपने होने में
हरेपन पर स्थगित बूँद की तरह थमने में

कितने मन्वन्तर-युग-कल्प लगेंगे
फिर उसी सान्द्र अँधेरे में

तारों की तरह निःशब्द टूटने में
भाषा के अजगर-पाश से मुक्त
धूम्रलय में प्रार्थना की तरह उठने में

राग की तरह पकने में
जंगली फूल की तरह निर्व्याज खिलने में
शिशु की तरह सोते हुए हँसने में

इसी अवकाश में

कुछ कहने के लिए फेंफड़ों में भरी हुई साँस
एक संवाद से पूर्व आँखों में उसका उजास

एक जमा हुआ झरना
झरने में रुँधी हुई आवाज़
आवाज़ में निरुद्ध वेग
नीचे प्रतीक्षाकुल चट्टान

अवचेतन के द्वार पर ठिठका हुआ
कविता में लय होने के लिए
उत्सुक-संकोची शब्द

अपनी अस्ति के चरम पर
समर्पण के लिए सन्नद्ध
एक लब्धकाम दूर्वांकुर

जंगल में असंख्य वृक्ष
वृक्षों में अनन्त हवा
हवा में अगणित आग के बीज
आकाश में विपद्ग्रस्त पक्षियों की भयार्त चीख

इसी स्थगन में सुस्ताता है क्लान्त गुरुत्वाकर्षण

समय की साँस थमती है निमिष भर
मिलने के लिए बढ़ते हुए हाथों के बीच
आविष्ट होती है हवा

इसी अवकाश में खद्योत जगमगाते हैं

अवध्य

कोई था।
उसने कुछ किया था।
उसके बारे में कुछ सुना था।
और फिर किसी को कुछ बताया था।

बताने में ही वह
और उसका किया-धरा
मेरे शब्दों का वह
और उसका किया हुआ
बनता जाता था।

लोगों ने बहुत कोशिश की
सूखे पत्तों, धूल-मिट्टी के नीचे से
उसकी ठठरी निकाल कर
उसकी सही-सही उमर पता करने की

पर पता नहीं कहाँ से
पत्ते और गिरते जाते थे
धूल और बरसती जाती थी
मिट्टी और जमती जाती थी
अपने कंकाल से मुक्त उसकी शब्द-काया में
खून की जगह दौड़ती थीं कहानियाँ

आखिर इतिहासकारों को भी कहना पड़ा
कोई था ज़रूर
और उसने कुछ किया भी था

लेकिन जो मिलता है
वह अपने कथा-प्रासाद में
हर रात अलग-अलग कमरों में सोता है

उसका वध करना मुश्किल है

सर्गारम्भ

शताब्दियों पुरानी एक अँधेरी गुफा में
किंवदन्तियों की उमस में बैठा
वह प्रागैतिहासिक मनुष्य कहता है
तुमने बहुत देर कर दी
अब तक मेरा सारा पुण्य खर्च हो गया
आदिम इच्छाओं की गूँज के सिवा
अब और कुछ नहीं रहा मेरे पास

एक वट-वृक्ष के नीचे खड़ा होता हूँ
एक पूर्वज का नाम लेता हूँ
सिवार और जलकुम्भी से भरी नदी में
भीतर ही भीतर जल हिलने लगता है
पण्डे मेरी तरफ ताज्जुब से देखते हैं

एक पुरानी बावड़ी में उतरता हूँ
वहाँ एक छुपा हुआ बूढ़ा मिलता है
गरुड़-पुराण के पन्ने उसके सामने फड़फड़ाते हैं
वह बताता है इस वक़्त तुम जहाँ खड़े हो
पेड़ की डाल टूटने के बाद
कालिदास इसी जगह गिरा था

एक दुर्गम ग्रह पर पहुँचता हूँ

सप्तर्षियों से बात करने
तभी बाढ़ आ जाती है
प्रलय के समय शिव सिर्फ मेरा खयाल रखते हैं
सिर्फ मैं ही बचता हूँ सीढ़ियों पर

फिर पानी भी उतरता है
और चीज़ें क्रमशः दीखने लगती हैं
सबसे पहले ध्वज दिखाई देता है
फिर दीपस्तम्भ
और फिर सिद्ध पुरुष की दाढ़ी
अलस्सुबह काँपती हुई बुढ़िया
कमर तक नदी के जल में खड़ी दिखाई देती है
और फिर सूर्य निकलता दिखाई देता है

देखकर लगता है
आना इस ग्रह पर
व्यर्थ नहीं हुआ

पार

सच बार-बार नाज़िल होता रहा उस पर
और पा नहीं सका उससे पार
अन्ततः थक-हार कर आ पाया
आखिरी हिचकी की सेंध में से
और फँस कर रह गया वहीं
कि वह अधूरी ही पूरी हो गई थी

उसकी तलवारों से टकराते ही
बनना पड़ा दैत्य पनचक्कियों को

एक खेतिहर मजदूर लड़की
राजकुमारी की शोभा में दमकने लगी
उसके उच्चार मात्र से

उड़ता रहा उसका सरल अनुचर
उसके रचे प्रतिव्योम में

वह शब्दों का एक
धड़कता हुआ पुतला था
बनाने वाले ने
फूँक दी थीं उसके कानों में
यक़ीन की आयतें

पागल उम्मीदों के पंख नहीं थे
और रह नहीं सकती थीं
वे उड़े बिना आकाश में

वे उड़तीं और गिरतीं
चट्टानों पर पत्थरों की तरह
और बिखर जातीं कंकरों में
जो मिट्टी में मिलकर
अंकुरित हो जाते
बिना बरसात की बाट जोहे

इस तरह उग आता
विश्वास के दुर्भिक्ष में
एक सब्ज़ टुकड़ा हर बार

यूँ जाता गल्प पुरुष
मरण के पार!

जगह

एक संकुल संसार में
जो चला गया
वह अपने पीछे छोड़कर नहीं गया
कोई खाली जगह

उसी की जगह खाली रही
जो अब तक नहीं आया

बनी हुई जगहें
ईर्ष्या से देखती हैं

किस तरह
अनुपस्थिति बुनती है एक जगह
जो प्रतीक्षा करती है

याद नहीं आते वे कूट शब्द
जिनसे दरवाज़ा खुलता है

नाव

पैरों के ऊपर
बह रहा है रास्ता
बहते हुए रास्ते में
रोपता हूँ पैर

कोशिश करता हूँ
पता नहीं चलता
आगे बढ़ता हूँ
कि वहीं रह जाता हूँ

झूमते हैं पेड़ तूफान के नशे में चूर
उनके लड़खड़ाते सुरों में
हँसता है अँधेरा आसपास
जिसे राख करने के लिए
गिरती है बिजली बार-बार
और ढिठाई से जो गाढ़ा होता जाता है

वह मेरे आगे है
अँधेरे में गुम
उसकी परछाईं की बाँह थामे
भरोसे, डर और अचरज में
चल रहा हूँ मैं न जाने किस तरह

बरसात की चादर गिर रही है
हमारे ऊपर रात के आसमान से

तलछट जीवन की ओर
असम्भव किनारे की तरफ

मुझे खेती हुई वह एक नाव है

साथ

इस समय कुछ और नहीं चाहिए
किसी और की दरकार नहीं
साथ है
और ख़ूब साथ है

पगे हुए हैं हम इस साथ में
शायद की धुन्ध के इस तरफ
पुराने थिएटर के गँदले पर्दे पर
काली सफेद परछाइयों का खेल है
शायद
जिसे हम देख नहीं पा रहे हैं

लहू की रफ्तार
और धड़कन का शोर
सब कुछ विसर्जित हो रहा है
इस संग में

लो, छूटने लगा मेरा हाथ
उसके हाथ से
लो, डूबने लगी वह एक गीत में

और अकेलेपन की छाया

घिरी मेरे ऊपर
झपट्टा मारते निकल गया
विकराल पक्षी एक
डैनों की आवाज़
छीलती चली गई मुझे भीतर तक

घबराकर थाम लेता हूँ उसे
वह हँसती है मेरी तरफ देखकर
और लौट आती है
एक गीत साथ लेकर

वास करते हैं हम
फिर अपने साथ में

और गीत का वितान है

अबोला

अनबन के बाद अबोला था

जिसमें हम मुखातिब थे आकाश से
धरती से बतियाते थे
एक दूसरे को सुना-सुना कर

पेड़ थे हम
खड़े हुए अकड़कर
समानान्तर

पंछियों से पता चलता रहता था
एक-दूसरे का हाल
गिरते हुए पत्ते
हवा के सिर चढ़ कर
अनलिखे पत्रों की तरह चले जाते थे
एक-दूसरे की तरफ

हम मान किए रहते थे
मौसम हम पर
अलग-अलग ढंग से उतरते थे
एक-दूसरे को उचटती नज़र से देख कर
पहचान लेते थे हम

ऋतुओं का–
ऋतुओं में–
स्व-भाव

अबोले की याद रहती
उसकी वजह भूल जाते
फिर धीरे-धीरे उसे भी
और हँसी आ जाती बेसाख़्ता एक दिन
एक-दूसरे को देखकर

इस सबके दौरान
ज़मीन के नीचे
जड़ों की तरह
हमारी उँगलियाँ
फँसी रहती थीं आपस में

उसका आसमान

ढलते हुए सूरज का रंग है
दीवार पर
वह देख रही है एकटक
पर कोई प्रतिबिम्ब नहीं है
उसकी पुतलियों पर
इस टकटकी में मूर्छित है पीड़ा
अवश हैं सारे विचार

वह शून्य की कक्षा में स्थित है
किसी सम्मोहन में बैठी हुई
चित्रलिखित

अनकहा ठिठका हुआ है
उसके कुछ खुले हुए से होठों पर
वह कुछ सुन रही है
समझने के लिए फुरसत में
जो याद रखने के लिए लगाई गई
किसी गठान की तरह भूली हुई
बँधी है उसके पल्लू में

वह तैर रही है इस समय
गुरुत्वाकर्षण से परे

अपने निजी व्योम में

किस दराज में छुपा हुआ था
यह आसमान उसका

कहाँ से साँस लेकर
लौट रही है वह
अपने हाथों
जुए को
अपनी गर्दन पर रखती हुई

खुशबू

दरक रहा हूँ
उड़ती हुई खुशबू के बोझ से

एक प्राचीन तस्वीर के पुर्जे
उड़ रहे हैं मेरे चारों तरफ

वह है
उसके जूड़े पर बँधी है फूलों की वेणी
उसके थोड़ा पीछे खड़ा हूँ मैं
मेरे हाथ कन्धों पर हैं उसके
मेरे और फोटोग्राफर के लाख कहने पर भी
वह सामने नहीं देख रही है कैमरे की तरफ

प्रस्तुत हैं हम
रुकी हुई है साँस

कौंधता है प्रकाश
कोई हल्की सी ध्वनि होती है
और पलक झपकते
बीत जाते हैं हम

पीली पड़ चुकी इस तस्वीर में

झुकी हुई आँखें हैं उसकी
और वह खुशबू भी गमकती हुई
हमारे उस समय में

उड़ती हुई खुशबू के बोझ से
दरक रहा हूँ

दरवाज़े के उस तरफ

रात में उसका कन्धा हिलाते हुए
एक बच्चा पानी माँगता है
जिसे वह जन्म देगी
अपने किसी सुख-स्वप्न में

सैकड़ों अलार्म बज रहे हैं
उसके तकिए के नीचे

टूटे हुए काँच की तरह बिखरी
नींद की किरचों पर
वह बदहवास भागती हुई
छलाँग लगाती है
किसी पूर्वजन्म की शैया से
इस जन्म की जाग में

रचते हुए
वह बँट रही है इस तरह
कि दिखाई नहीं पड़ती समूची
एक जगह अब

धीरे-धीरे वह खुलती गई है
पंखे की तरह

तराश के खिलाफ
खुद में गठान की तरह
लगती गई है धीरे-धीरे

अब वह उस तरफ है
दरवाज़े के उस तरफ
और लाख चाहने पर भी याद नहीं आते
वे कूट-शब्द
जिनसे दरवाज़ा खुलता है

उत्खनन

रेतीले अन्धड़ में
न जाने किस भुतैली गुफा से
निकल रहे हैं
जहर बुझी नोक वाले वाक्य

टूट रहे हैं कवच
बिंध रहा है मन
अँधेरा बह रहा है
हमारे घावों से

पृथ्वी के इस सिरे से
उस सिरे तक
फैलती चली गई है दरार एक
टूट कर गिर रही हैं जिसमें
हमारी शक्लें, हँसी, लय, नमी

और अब गुज़र रहा है दृश्य का तूफान

श्लथ-क्लान्त योद्धा
रेत में खोदते हुए
निकाल रहे हैं खुद को

ये खाली प्राचीन बर्तन
जिनमें खनक रही है धीरे-धीरे
किसी पुरासभ्यता के ढुल जाने की
थकी हुई कहानी

क्या हमारे ही चेहरे हैं?

श्मशान-शृंगार

क्या तुमने कभी
किसी सब्ज़ दरख़्त पर
गिरती हुई बिजली देखी है?

नींद में होठों पर
भटक आई मुस्कान
भ्रम है
भ्रम है दस्तक
रात तीसरे पहर अचानक
मन पर

ये कौन सी आवाज़ें हैं
जो शामिल हो गई हैं हमारी आवाज़ों में
ये कौन से प्रेत हैं
जो हमारी आवाज़ों में
अपने फरमान जारी कर रहे हैं

नहीं, संयोग नहीं यह
वियोग भी नहीं
यह श्मशान-शृंगार है
जिसमें विरह शोभा में दीप्त
एक शव दूसरे की प्रतीक्षा में

कातर होता है

देखो
एक पेड़ जल रहा है सामने

वह देखो
उसके नीचे
बारिश से बचने के लिए खड़े हुए हम
राख हो रहे हैं

आवाज़ एक काया है
जिसमें असंख्य आत्माओं का वास है

तीज की रात

वे जाग रही हैं।

उनकी इस रात में—इस जाग में साझा नहीं है किसी पुरुष का।

इस रात के फलक पर—एक स्वप्न के भूगोल में
वे अपने केश खोले एक दूसरे से छुप रही हैं—ढूँढ़ रही हैं एक-दूसरे को
और पा रही हैं खुद को। उनकी खिलखिलाहट से चौंक कर उनींदे तारे
आसमान से झाँकते हैं और मुदितमन देखते रह जाते हैं उनका
स्फटिक उल्लास।

गीली रेत की छुअन उनकी उँगलियों के पोरों के नीचे हमेशा के
लिए बस गई है। अपने बनाए ईश्वर को पूजतीं
वे अपनी कृति को ईश्वर की नज़र से देखती हैं

उनमें से कुछ एक समवेत गीत की सतह पर आँखें बन्द किए
बह रही हैं। कोई ठिठक गई है, नई पत्तियों के इन्तज़ार और
पुरानी पत्तियों के स्मरण में अनमने से किसी पेड़ के नीचे।
कोई अपनी मुँदी आँखों के आगे झरते हरसिंगार अपने फैले हुए
दुपट्टे में समेट रही है। कोई कम उम्र लड़की अपने छोटे
भाई को कमर पर लादे खेल रही है एक टाँग पर उछलते हुए
अपना कोई प्रिय खेल, जिसके बाहर आती है उसकी माँ
के खिड़की बन्द करने की आवाज़।

प्यास उनके कण्ठ में नदी की तरह बह रही है। एक
बिलकुल अपनी रात की तृप्ति के नीचे कहीं दुबक गई है उनकी भूख।
इस रात को सहेजते हुए बिसरता जाएगा यह व्रत और अपने
आसपास किसी निर्जन दुपहरी में शायद उनकी हँसी फूट पड़ेगी
इसके माहात्म्य पर।

रात उनकी अंजुरी में से फिसल रही है। घण्टियों की ध्वनि
और आरती के स्वरों के बीच खोलनी होंगी उन्हें अपनी आँखें।

आखिर उन्हें जागना पड़ेगा।

जो बच्चे अकेले खेलते हैं

एकान्त उनके कोने घिसकर उन्हें एक गेंद में बदल देता है।
अपनी ऊब में टप्पे खाते हुए अन्ततः वे फर्श पर निश्चल
पड़े रहते हैं। कभी-कभी वे ऐसे काम करते नज़र आते हैं
जो उन्हें अपनी ढलती उमर में करना होंगे, जैसे पड़े-पड़े
छत की ओर देखते रहना, बुदबुदाना, जम्हाई लेना, ऊँघना और
सो न पाना।

वे बन्द दरवाज़ों पर दस्तक देते हैं। पूछते हैं—कौन है? जवाब
देते हैं—मैं हूँ। किताबों में छपी तस्वीरें उनसे अपने दुख-
सुख की बातें करती हैं। वे आवाज़ देते हैं और देर तक अपनी आवाज़
को देखते हैं। अपनी शक्ल से ऊबकर वे
आईने में मुँह चिढ़ाते हैं। वह इन्तज़ार का स्केच होता है जिसे
वे पेंसिल से दीवार पर बनाते हैं और जिसके लिए उन्हें डाँट पड़ती है।

अकेले खेलने वाले बच्चों में खिलौने की आँखें उतरने
लगती हैं। काठ के घोड़े जब उन्हें अपने साथ आश्चर्य लोक की
यात्रा पर ले जाते हैं, तो उनका कुछ वहीं छूट जाता है। काम
से लौटकर उनके माँ-बाप उन्हें बार-बार गौर से देखते-
टटोलते हैं पर उन्हें पता नहीं चल पाता है कि अकेले खेलने
वाले बच्चों में कौन सी कसर अपना घर बनाती जा रही है।

तस्वीरों के तमाम टुकड़ों को तरतीब देकर एक मुकम्मिल तस्वीर बनाने में लगे अकेले खेलने वाले बच्चे उस दस्तक की लगातार प्रतीक्षा करते हैं, जब उन्हें अपने बचपन की तस्वीर का कोई टुकड़ा मिल जाएगा और जो उन्हें मुकम्मिल करेगा।

सिर्फ

धीरे-धीरे साफ होने लगता है कि चमगादड़ ही सही हैं।
एक उलट पुलट दुनिया में परिप्रेक्ष्य सिर्फ उन्हीं के पास है।
चीज़ों के अपनी जगहों से हटते जाने के विषय में
सिर्फ उन्हीं के पास है प्रामाणिक जानकारी। सिर्फ वे ही
जानते हैं शीर्षासन का अर्थ। वे किसी भी सेंध से
घुस आते हैं कमरों में। अपनी व्यग्र फड़फड़ाहट में,
हवा को तितर बितर करते हुए बेचैन आत्माओं की तरह,
मँडराते हैं सिरों पर। फिर वे निकल जाते हैं अचानक
अलग-अलग दिशाओं से बनाए गए अनेक गति-वलय
अपने पीछे छोड़ते हुए। वे अपनी हताशा
में लटके हुए दिखाई देते हैं, जैसे कमज़ोर आँखों
से पढ़ रहे हों क्षितिज पर लिखा हुआ कुछ साफ-साफ।

तारीखें

वे ओस और धूल की तरह तमाम दुनिया पर गिरती हैं।
आवाज़ों और रंगों को बदलती हुईं वे जख्म की तरह
भी आती हैं और जख्म पर पपड़ी की तरह भी। उनकी हँसी
से कैलेण्डर फड़फड़ाते हैं। उनकी सिसकियाँ हर कान से बाहर
रह जाती हैं।

सूरज और चाँद अपरिचय में उनकी तरफ ताज्जुब से देखते हैं।

तारीखों की मदद से लोग इतिहास के जंगल का चप्पा-चप्पा
नाप लेना चाहते हैं, पर वो कोई एक तारीख उन्हें देखकर
झाड़ियों में छुप जाती है जब कुछ भी शुरू होना या
खत्म होना दरअसल शुरू हुआ था।

तारीखें अक्सर ज़िन्दा लोगों में रहती हैं। जो मर जाते हैं
वे तारीखों में घर बनाते हैं जिनका कुछ पता नहीं चलता
कि वे हैं भी या नहीं, वे भी किसी तारीख की ओट
में ठिठके हुए दिखाई देते हैं। वे बड़े नहीं होते, उनके
चेहरों पर झुर्रियाँ नहीं आतीं, उनके बाल सफेद नहीं होते।
उस एक तारीख की फ्रेम में जड़े हुए वे अपने घरवालों
की तरफ देखते हुए मुस्कराते रहते हैं।

अक्सर तारीखें कुछ लोगों के क़ीमती कालीनों के नीचे की धूल में मिलती हैं। अक्सर कुछ लोग तारीखों के डस्टबिन में पड़े मिलते हैं।

एक लम्बे नाटक की हँसी

वे कुछ भी हो सकते हैं।

अरण्य में हो रहा एक विलाप या निर्व्याज
उड़ते सेमल के बीज या फसल-किनारे की
अवांछित वनस्पतियाँ या समय में बुझते हुए
सम्बन्ध या अस्वीकृत भूमिकाएँ नाटक की।

एक अन्तहीन उजाड़ में गैरमौजूद तितलियों के
पीछे भागते हुए कहीं भी हो सकते हैं वे।

अलग-अलग दिशाओं में दौड़ते हैं उनकी देह
और मन के घोड़े, उन्हें स्थावर बीच की
ज़मीन पर छोड़ते हुए, जहाँ एक गिद्ध
मँडराता है उनके सिर पर, उनके शव हो
जाने की प्रत्याशा में।

वे हँसते हैं एक लम्बे नाटक की हँसी
जो घुलती रहती है अँधेरी ठण्डी रातों में
एक कराह की तरह।

नींद की चादर में

अँधेरे में गाँठें खोलने की कोशिश में सुनाई देती हैं
कुछ मिली-जुली आवाज़ें। एक-दूसरे में गड्ड-मड्ड कुछ
शक्लें तैरती हुई आती हैं। दिमाग में एक स्याह परदा
खींच लेने की उतावली में कुछ हाथ नहीं आता।
अपनी पराजय में हम प्रतीक्षा करते हैं इन आवाज़ों
और आकृतियों के थकने की। जिस वक़्त अँधेरे
की सलवटें दूर होने लगती हैं, चुपके से जाने
कहाँ बिला जाती हैं आवाज़ें और शक्लें। इतनी
चुपके से कि कुछ पता नहीं चलता।

पता यह चलता है कि नींद की चादर में
कहीं कोई छेद है, जिसमें फँस रहा है पैर का अँगूठा।

विरुद्ध

एक दिन शिलालेखों में खुदे हुए शब्द अपनी इबारत
के खिलाफ चले जाते हैं। चट्टानों को दाढ़ों की तरह
खोखला करते हुए भीषण आवाज़ के साथ गिरता है
काल का जल। कलम वही रहती है, हाथ की पकड़
भी वही, पर भीतर ही भीतर बदलती रहती है
हस्तलिपि, नमूने के हस्ताक्षरों के खिलाफ होती हुई।
पथरीलेपन से ऊब कर एक छोटा पत्थर गुपचुप
पानी में घुलता रहता है। विस्मृति के डंक को
निर्विष करती हुई नीमफूलों की गन्ध सहलाती
है एक निर्जन समाधि स्थल का अवसाद। किसी
वृक्ष से कान लगाकर सुनने पर सुनाई देता
है निर्वासन के विरुद्ध किसी पर्व पर नदी को
जाती हुई स्त्रियों का गीत। हर शीत के विरुद्ध
होती है आग तापते हुए हड्डियों में धँसती
एक क़िस्से की आँच।

गिरना

गिरना तब सहज होता है जब कोई चश्मदीद न हो।
सबसे सुविधाजनक अपनी ही देह में गिर जाना है।
हमारे वाक्य अतिशयोक्तियों में गिर जाते हैं।
हमारी इच्छाएँ गर्भ की तरह स्वप्न में गिर जाती
हैं। नामालूम ढंग से झुर्रियों में गिरता है समय।
रेतीले कगार की तरह टूट कर गिरती है एक
बूढ़े के मन में पुराने दोस्त की मृत्यु। पृथ्वी
के नीचे पानी के संगीत पर सिर हिलाते
पत्थरों की छाया गिरती है खाली घड़े में रखी
प्यास पर। नज़र में गिरने की तरह गिरता है
एक मूल्य।

बारिश, पेड़, हम

बारिश में पेड़ एक फटे हुए छाते की तरह होता है। वृष्टि से
कीलित, वृक्ष से बिद्ध हम खड़े रहते हैं उसके नीचे।
फिर धीरे-धीरे हमें छूने लगती है दो मित्रों के सुदीर्घ
साहचर्य से उपजी एक कूट-भाषा। जैसे पेड़ और बारिश के
बीच हमें लेकर कुछ चल रहा हो। हम कुछ शर्म महसूस
करते हैं, कुछ अचकचाहट। चिड़ियों की तरह हमारे आसपास
फुदकती हैं बारिश और पेड़ की निजी आवाज़ें। हमें निकल
जाना चाहिए—सिर उठाए, सीना ताने—बारिश और पेड़
दोनों का प्रतिषेध करते हुए। पर पैर नहीं हिलते, सिर
नहीं उठता।

गर्दन पर एक ठण्डी बूँद उतरती है, जो बारिश
की ठण्डी हवा में भी नहीं सूखती।

असाध्य

आँखों में धूल भरी आँधियाँ चलती हैं। उड़ते हैं सूखे पत्ते
और अनलिखे पत्र। शाल के एक पुराने वृक्ष में आस्था
से क्लान्त एक ग्रामदेवता शरण खोजता है। शताब्दियों पहले
डूबे एक जहाज के अवशेषों में सैलनियों के ताज्जुब
से घूमती है छोटी मछली। अपने देवत्व और वस्त्रों
को उतार कर दुनिया के प्राचीनतम व्यापार का द्वार
खोलती है प्रतिमा में बदलती हुई एक अपार्थिव स्त्री।
घर के फिजूल लोगों को बर्फ में छोड़कर लौटने
वाले अपने रक्त में ठण्डा करते हैं अपनी ही अस्थियाँ।
पर्दे पर जिस समय उभर रही होती है एक विस्मृत राग
की दुर्लभ स्वरलिपि, असाध्य सुरों से परास्त
गायक उतर जाता है मंच से। तानपूरा थामे देखते रह
जाते हैं संगतकार।

समवाय

जागने पर पता चलता है कि सिर में दर्द भी सोया हुआ था जो हमारे जागने पर जाग उठा है। यह भी सम्भव है कि हम सोए हुए हों और दर्द हमारे जागने की प्रतीक्षा में तकलीफ भरी करवटें बदलता रहा हो। दुख की भी एक दुख भरी प्रतीक्षा रहती होगी। जीवन में प्रवेश की प्रतीक्षा में दुख का जीवन कैसे कटता होगा?

क्या दुख का इन्तज़ार मेढक की तरह होता होगा—एक प्रतिकूल मौसम की मूर्छा में व्यतीत होता हुआ? पुलक की बयार चलते ही चौंक कर जागता हुआ। किसी अदृश्य रिसन को टोहता हुआ। दुख के दुःस्वप्नों में सुख के अपशकुन घटते होंगे।

रात भर सिर में जो दर्द हमारे जागने की प्रतीक्षा कर रहा था, अपनी अनिद्रा में, हो सकता है, हमारे तमाम शरीर में भटकता रहा हो। तब उसे उसके साथी दर्द मिले होंगे। रात भर हमारे शरीर में तकलीफों की महफिल जमी होगी। हमारी सारी तकलीफों ने आपस में अपनी तकलीफें बाँटी होंगी। हमें अपनी काया में घटते दुख के इस समवाय की कोई खबर नहीं हुई। हम उस वक़्त सो रहे थे।

सवेरे जब आँख खुली, हमें सिर में उस पीड़ा की
चीख सुनाई दी, जिसकी तकलीफ सबसे ज्यादा थी
और जिसे हम अपना सरदर्द समझ कर तमाम
जमाने से शिकायत करते रहे।

आवाज़

आवाज़ एक काया है जिसमें असंख्य आत्माओं का वास है आवाज़ से ही पता चलता है कि आवाज़ में कोई दरवाज़ा खुल रहा है या बन्द हो रहा है। जिन आवाज़ों को सुनकर उनमें डूब जाने की तबीयत होती है, बाज़दफा वे तवे पर गिरी बूँदों की आवाज़ में बदलकर ऐसी ग़ायब होती हैं कि दूर तक रेगिस्तान पसर जाता है।

बरसों से बन्द मकानों में जमी हुई धूल और जालों में आवाज़ें धीमे-धीमे गूँजती रहती हैं। कभी-कभी वे नामुमकिन जगहों पर मिलती हैं और सन्नाटे में डाल देती हैं। ज़र्द पन्नों वाली बोसीदा क़िताबों में कोई पुराना मौसम बोलता है। काठ-कबाड़ की टटोल में कोई बिसरी हुई आवाज़ हाथ पकड़ लेती है। सूख कर अकड़ा हुआ एक फटा हुआ जूता अच्छे दिनों की आवाज़ में कुछ कहने लगता है। ताँबे के उन पुराने, भारी-भरकम बर्तनों से हम अक्सर बच कर निकलते हैं, जिनमें पुरखों की आवाज़ें खनकती हैं। सँजोकर रखे हुए पत्ते के कंकाल में एक पेड़ हवा में हँसता हुआ सुनाई देता है।

मैं जब भी अपनी असली आवाज़ में कुछ बोलता हूँ, मुझे लगता है, मेरा गला खराब हो गया है। अपनी आवाज़ को साफ करने के लिए अक्सर खँखारता हूँ। लगता है, गले में अटका हुआ यह कुछ बहुत अपनी सी चीज़ है, जिसके बिना मेरी तमाम आवाज़ें गड्ड-मड्ड हो जाएँगी।

घर

आकाश, धरती, समुद्र और पहाड़ से भागकर
हमने घर में पनाह ली थी। समझा था कि
घर तोड़ होगा बदलते मौसमों का। घर में हम
वहीं जागेंगे जहाँ पिछली रात सोए थे और
इस तरह पा लेंगे पिछले जीवन को उसी छत
के नीचे।

लेकिन मौसम घर के भीतर भी बदलते थे। वहाँ
करुणा से देखते थे हमें बचपन के ताज्जुब।
गृहस्थी की थकी हुई आवाज़ें किसी नींद से उठकर
खोलती थीं दरवाज़ा बेज़ारी से, हमारे बार-बार
दस्तक देने पर। खोई हुई चीज़ें हँसती थीं हम पर
नामालूम कोनों से। घर के असंख्य जालों में
अटके हुए चौरासी लाख जीवन हमारी चूकों को
दर्ज करते थे। अपनी अदृश्य आँखों से घर
रोज़ पढ़ता था हमारी पीठ पर छपी पराजय
की अनन्त कथा। उसके ढहते हुए कमरों में
जमा होता गया था खर्च किए गए शब्दों का अँधेरा।

हमारे देखते-देखते अपनी हद में बेहद होता हुआ
यह घर गन्तव्य के खिलाफ एक ऐसी सुरंग में
बदल रहा है जिसमें चलते-चलते जिसके अँधेरे में
हम घुल जाएँगे।

खेल

जो चलना सिखाते थे, वे पैर तले की ज़मीन के रहस्य
अपने पास रखते थे।

जो जन्म देते थे, वे जगाए भी रखते थे।

सुपुष्ट देह में एड़ी में ही सही, दुखती रग का घर था।

वर्णक्रम में कूट था, उसी में छुपी थी चाबी।

निर्भरता घटती जाती थी, निष्कृति की आशा पसरती
जाती थी।

अपनी पतंग को आसमान में ऊँचा उड़ाकर,
उड़ाने वाली डोर से ही उसे काटना एक दुःसाध्य
खेल तो था, असाध्य नहीं।

और यह सब इतना अपने आप था कि
(अ) चमत्कार था।

अपने पाताल में

हर बार वहीं जाना पड़ता है, जहाँ से शुरुआत की थी। पहले आकृतियाँ रिस जाती हैं, फिर संवाद शेष हो जाते हैं और उसके बाद कार्य-व्यापार थम जाता है। वह खुद को पूरी तरह उलीचा हुआ पाता है। फिर वही सिलसिला—खुद को नए सिरे से भरने का उपक्रम और बूँद-बूँद रीतने का पुनराभ्यास। खुद की ठोकर से ढुल जाने की स्तब्ध रिक्तता अपनी जगह। पर इससे कोई फर्क नहीं पड़ता। लौटना वहीं पड़ता है जहाँ पहली बार रंग और आकृतियाँ, गन्ध, उजाला और स्पर्श मिले थे। अपने पाताल की सीढ़ियाँ उतरकर जड़ें पुनर्नवा होती हैं।

पूर्वजन्म

पूर्वजन्म की स्मृति नहीं है।
लेकिन स्मृति का पूर्वजन्म है।

रोज़मर्रा के बियाबान में घिसटते हुए
हम एक विचलन के रोमांच में
जब तितली के पीछे
साँप के उस छुपे हुए
बिल तक जा पहुँचे थे, जहाँ पर वह बैठी थी
तो हमारी बढ़ी हुई उँगलियों में
रंगों की छुअन की लालसा थी
मगर एक दंश सनसनाता फैल गया था जिससे
नीली पड़ गई थी मन की देह।

फिर वह जहर निथरता गया था भीतर ही भीतर
हमारी तमाम परतों से हुआ,
इतने रूप बदलते हुए
कि हम भी सिर्फ महसूस कर पाते थे
कि अँधेरी गुफा में
अपने एकान्त वैभव में,
हमारी निजी निधि की तरह
जो दमक रहा है, वही है।

कहा नहीं जा सकता, वह जो दबा है
समुद्र की सतह से अनन्त फीट नीचे,
कब अचानक एक कौंध में उछल आएगा और
अपनी दीप्त उँगलियों से बढ़ा देगा
शब्दों की आँच

शब्द के अ-मृत का पूर्वजन्म विष है।
शब्द को इसकी कुछ-कुछ स्मृति है।

शब्द-पुरुष

शब्द उसे भरते जाते हैं, इस हद तक कि
कुछ भी दिखाई देना बन्द हो जाता है। वे
उसके आकाश को गिद्धों की तरह मथते हैं।
उनकी पीड़ा और उल्लास में जलता-बुझता वह
किसी व्यग्र उल्का-पिण्ड की तरह तैरता है
अपने अन्तरिक्ष में भारहीन। उनके चकमक
उजास में देखता है अपनी सन्तति का चेहरा।
न जाने कितनी सूझों में कौंधता, न जाने
कितनी शिराओं में बहता, वह दिक्काल में
एक अजस्र विद्युत प्रवाह अपनी अदृश्य
उँगलियों से आविष्ट करता है फिर एक
शब्द अपनी किसी अदेखी सन्तान के सुनसान में।

समस्यापूर्ति

वह एक पंक्ति है, अकेली और उदास।

न उसमें मन्त्र का सधापन है, न सूक्ति की
चकाचौंध। आरम्भ की चमकीली उठान उसमें
कहीं नजर नहीं आती। अन्त की निर्णायक
अन्तिमता उसके बूते के बाहर लगती है।

बीच के असमंजस वह कहीं भी हो सकती है
और नहीं भी।

अपने नीम अँधेरे और निपट एकान्त में
वह एक सजल और सन्तप्त पंक्ति है।

वह एक गढ़ी हुई पंक्ति है जिसकी उँगली
अनगढ़ जीवन के हाथ से छूट गई है।

अपने शब्दों की आकुल फड़फड़ाहट के बावजूद
वह उड़ नहीं सकती। उसे प्रतीक्षा है अप्रत्याशित की।

वह बाट जोहती है अपनी सखी-पंक्तियों की,
जिन्हें उसने कभी नहीं देखा। जो आएँगी
अर्थ को चकमा देकर, थाम लेंगी उसे

हाथ बढ़ाकर। ले जाएँगी उसे अपने उजास
और धुँधलके में।

तब तक वह एक समस्या है।

कवियों के लिए।

बिल्ली का रोना

लिखे जा चुके शब्दों की अपनी आवाज़ें होती हैं
जैसे रचना के पेड़ पर ढलती साँझ में घर लौट
आईं चिड़ियों की अस्त-व्यस्त आवाज़ें। जो इन तितर-
बितर आवाज़ों में जो एक तरतीब ढूँढ़ लेते हैं,
उनकी गोद में फल टपकता है। उसके बाद तो
आता हुआ अँधेरा है, जिसमें पेड़, चिड़ियाँ, आवाज़ें
सब लीन हो जाते हैं।

लेकिन ऐसे भी शब्द होते हैं, जिन्हें लिखने के बाद
दोबारा पढ़ने पर हम हटा देते हैं। रात को उन
शब्दों की आवाज़ सुनाई देती है, जैसे बिल्ली रो
रही हो। बिल्ली का रोना अपने आप में इतना
मुकम्मिल, इतना पारलौकिक होता है कि
हम अँधेरे में दो जलती आँखों की तलाश में घबराकर
बाहर निकल आते हैं ताकि पत्थर फेंक कर उन्हें
बुझा सकें।

हम अपना सुख वापस चाहते हैं। रचने का अपना
सन्तोष, पर बिल्ली का रोना उसमें सूराख करता रहता है।

अभयारण्य

यहाँ मुझे कोई भय नहीं है।

मैं इस पहाड़ पर चढ़ता हूँ। इस उपत्यका में उतरता हूँ
इस नदी के जल में अपना बहता चेहरा देखता हूँ
घनेरे पेड़ मुझे सुला लेते हैं। चिड़ियाँ मुझे जगा देती हैं।
जानवर मुझे निकलने को रास्ता देते हैं और मेरे
सलाम का जवाब भी।

मैं उसके मन के अभयारण्य में हूँ।

यहाँ मैं बारिश में भीगता हूँ और बारिश में थोड़ा
घुल जाता हूँ। यहाँ जब सूरज तेज़ चमकता है, मुझमें
से भाप जैसा कुछ निकलता है और बादलों में मिल
जाता है कड़ाके की शीत में मेरी ठिठुरन हवाओं
के संगीत में चुपके से दाखिल हो जाती है।

वसन्त मेरी देह पर फूलों के पाँव रखता गुज़र जाता है।

यहाँ के नीम अँधेरे में कुछ आदिम जुगनू
चमकते हैं जैसे खुद को छुपा लेना चाहते हों। घास
में से पुराने दिनों की खुशबू उठती है। थोड़ा ऊँचाई
से देखने पर सुलगते गुलमोहरों का अनन्त समुद्र दिखाई देता है।

कभी चौकड़ी भरता हिरण, कभी किसी उदास पेड़ के नीचे अवसन्न खड़ा रहता है।

यहाँ लू के थपेड़े हैं और चाँदनी रात में ओस गिरती है। दूर तक फैला रेगिस्तान है, जिसमें कभी भी बारिश हो सकती है। भक्क दुपहरी में कोयल की कूक सुनाई देती है। एक पत्ती की नसों में क्लोरोफिल की बजाय बर्फ जम सकती है।

यहाँ मुझे कोई भय नहीं है। तय है कि मैं यहाँ बच नहीं सकता। यह अभयारण्य मेरा शिकार कर रहा है।

पेड़ का होना

मैं 'पेड़' शब्द लिखना चाहता था।

पर लिखूँ उसके पहले ही बीज से अँखुआ फूटा
और दरमियानी सालों को लाँघते हुए देखते-
देखते मेरी पीठ मेरे अनलिखे पेड़ के तने से
टिक गई। डाल से उतरकर एक गिलहरी मुझे
अजनबी की तरह देखती हुई झाड़ियों में लोप
हो गई। तेज़ी से हवा चलने लगी जिसमें
अनलिखे पेड़ की शाखें इस तरह हिलने लगीं
जैसे किसी अदीठ की पीठ ठोंक रही हों।
आसमान में काली बदली का झुकना था कि
अनलिखे पेड़ की जड़ें पारदर्शी पृथ्वी के भीतर
भुवन के कुशलक्षेम का संवाद लेकर दौड़ने
लगीं।

मैंने कलम जेब में रख ली, जिसकी स्याही सूख
गई थी और तभी टपका सुग्गे का अधखाया
फल।

इस तरह पूरा हुआ वह पेड़ जो लिखा नहीं
जा सका।

विन्यास

जहाँ ज़रूरत थी
ठीक वहीं गिराते हुए अपनी चोंच से
एक लीलामग्न शब्द—जो न कम है, न अधिक
वह उड़ गया अभी-अभी पंख फड़फड़ाकर
गर्दन के पीछे से

और अब लीन हो रही है अँधेरे में
पार्श्व से सरक कर
एक विराम चिह्न की लम्बी परछाईं

अन्यमनस्क सा बैठ गया है किंचित क्षुब्ध होकर
ग़लत जगह लगा दिया गया एक पूर्णविराम

जहाँ गिरने ही वाली थी अर्थ की छाया
उसी जगह घिर गया बादलों से सूर्य
छिटकी हुई धूप में चमकते रहे कुछ बिन्दु...

सतह पर बनाते हुए अनन्त वृत्त
कंकर की तरह हवा को दबाती हुई गिरी वह पंक्ति
असमाप्त होकर अनश्वर हुआ
इस तरह एक विन्यास

●●●